À Maureen Poland - M.W.
À Bill et Irene - J.C.

Texte traduit de l'anglais par Élisabeth Duval

Titre de l'ouvrage original : ROOM FOR A LITTLE ONE
Éditeur original : Orchard Books
Text copyright © Martin Waddell 2004
Illustrations copyright © Jason Cockcroft 2004
Tous droits réservés
Pour la traduction française : © 2004 Kaléidoscope,
11, rue de Sèvres, 75006 Paris, France
Loi n° 49.956 du 16 juillet 1949 sur les publications
destinées à la jeunesse : septembre 2004
Dépôt légal : septembre 2004
Imprimé à Singapour

Diffusion l'école des loisirs

www.editions-kaleidoscope.com

Une petite place dans l'étable

Texte de **Martin Waddell**

Illustrations de **Jason Cockcroft**

kaléidoscope

C'est une froide nuit d'hiver.
Gentil Bœuf somnole dans son étable,
à proximité de l'auberge.

Vieux Chien vient à passer.

Il s'arrête devant la porte.

"Je cherche un endroit pour me reposer",

dit Vieux Chien.

"Entre donc, dit Gentil Bœuf.

Il y a toujours une petite place ici."

Vieux Chien entre et s'allonge dans la paille.
Il se blottit contre Gentil Bœuf,
et partage avec lui la chaleur de l'étable.

Chat Errant pointe son museau.

Il voit Vieux Chien et s'immobilise.

Chat Errant hérisse ses poils et fait le gros dos.

"Je ne vais pas te chasser", dit Vieux Chien.

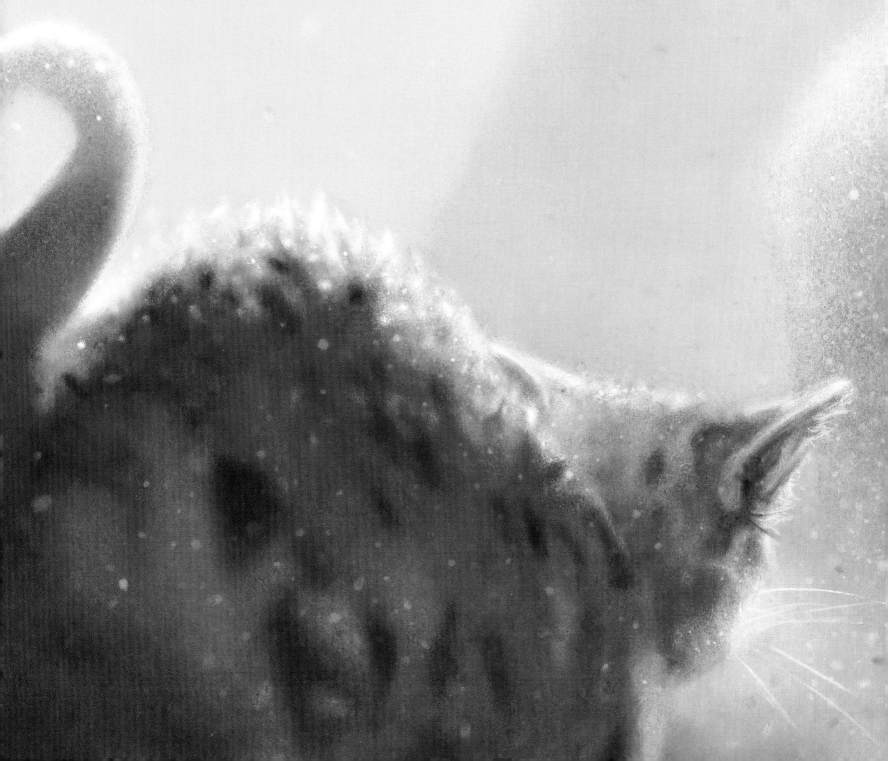

"Entre donc, dit Gentil Bœuf.

Il y a toujours une petite place ici."

Chat Errant entre dans l'étable.
Il se pelotonne dans la paille
près de ses nouveaux amis
et il ronronne doucement.

Souris Grise arrive devant la porte de l'étable.
Elle voit Chat Errant et elle tremble de peur.
"Tu ne crains rien ici, je ne te ferai aucun mal",
dit Chat Errant.

"Entre donc, dit Gentil Bœuf.
Il y a toujours une petite place ici."

Souris Grise trottine à l'intérieur de l'étable.
Elle se niche dans la tiédeur de la paille
et elle s'endort paisiblement.

Voici Âne Fourbu qui approche.
Joseph le mène par la bride.
Marie est sur le dos d'Âne Fourbu.
Joseph a froid et Marie est épuisée,
mais il n'y a plus de chambre à l'auberge.

"Où naîtra mon bébé ?" s'inquiète Marie.
"Entre donc, dit Gentil Bœuf à Âne Fourbu.
Il y a toujours une petite place ici."

Âne Fourbu conduit Marie dans l'étable.
Joseph prépare un lit de paille bien sèche
pour protéger Marie du froid de la nuit.

Ainsi naît Jésus, entouré d'animaux.
Gentil Bœuf, Vieux Chien, Chat Errant, Souris Grise
et Âne Fourbu l'accueillent dans la chaleur
de leur étable.

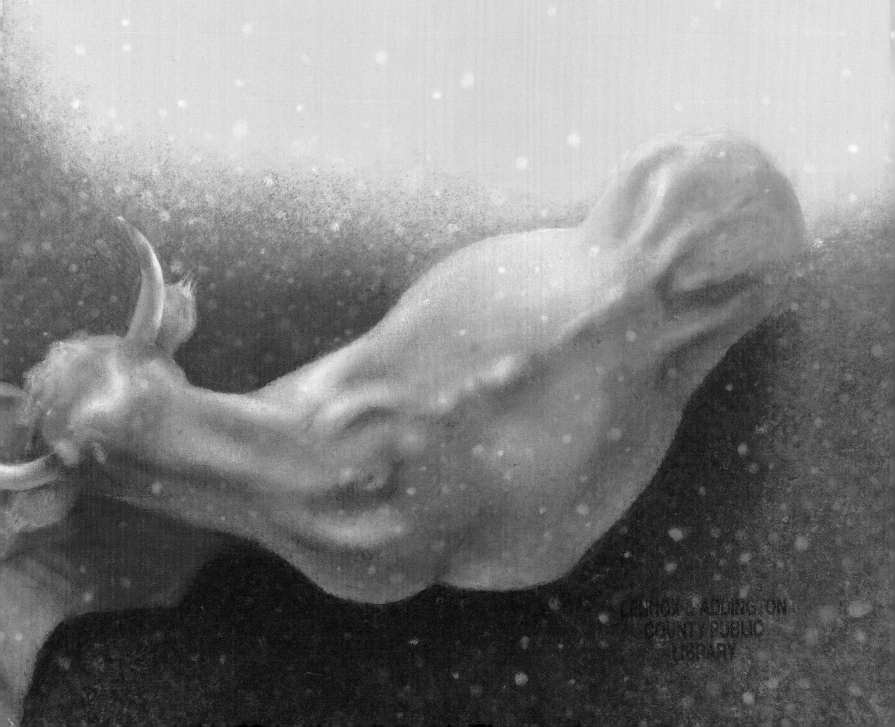

Par une froide nuit d'hiver,
sous un ciel étoilé…

… Jésus vient au monde.